PORQUE TODO LO QUE
NECESITAS PARA TU SALUD,
BELLEZA Y HOGAR LO PUEDES
ENCONTRAR EN CASA

AGRADECIMIENTOS

Tengo que repetirlo de nuevo en esta segunda publicación… hay tantas personas que de una u otra forma han contribuido a Truquitos Caseros, que podría escribir un libro solo de agradecimientos. Mami y Papi, gracias por continuar apoyándome incondicionalmente en todas mis aventuras. A mis abuelas: Abuelita Teté y Abuelita Mama, y mis abuelas postizas, Doña María y Mamita, porque muchos de los sabios consejos que con tanto amor me enseñaron son los Truquitos Caseros que hoy comparto en este libro. A Mateo por su amor, comprensión y apoyo incondicional. A mis hermanos y amigos del alma. A mi amada maestra espiritual Shanti Ragyi por su divina presencia en mi vida. A mi equipo de trabajo por atreverse a volar alto conmigo para alcanzar este gran sueño… ¡son los mejores y los amo! A Fana por componer e interpretar con su voz espectacular el tema de Truquitos Caseros. A Three A Press y su excelente equipo de trabajo por su apoyo continuo. A todos los que de una u otra forma han puesto su granito de arena para que Truquitos Caseros llegue a todos los rincones del mundo.

Y a todos los lectores por permitirme entrar a sus corazones y acercarlos un poquito más a la Madre Tierra.

CONTENIDO

TRUQUITOS CASEROS PARA EL HOGAR

INTRODUCCIÓN

Todos los días, a través de las preguntas que recibo de los seguidores de Truquitos Caseros, reconfirmo cómo esos "remedios de la abuela" y el legado de eterna sabiduría que nos pasan de generación en generación, nos resultan útiles en los momentos más difíciles e inesperados que se nos presentan en el diario vivir.

Y la realidad es que todo lo que necesitas para mantener tu salud, potenciar tu belleza, acicalar y hermosear tu hogar… y hasta para limpiar la oficina o el carro, lo puedes encontrar en tu propia casa. Solo tienes que asomarte a la alacena, a la nevera, el gabinete o al jardín, y poner en práctica los Truquitos Caseros que comparto en este libro para comprobarlo.

En este segundo libro, *Truquitos Caseros.2 Para resolverlo todo*, recopilo una ingeniosa colección de esos "remedios de la abuela" que tanto me has solicitado, y que son diferentes a los incluidos en mi primera publicación. A través de estos valiosos y efectivos consejos te brindo alternativas saludables, fáciles de realizar y a un bajo costo que promueven una mejor calidad de vida.

Así que si el día te sorprende de repente con algún reto: una condición o padecimiento de salud, una inquietud de cierto problema de belleza, o quizás no sabes cómo resolver una situación de limpieza en tu hogar o en la oficina, te invito a que antes de entrar en estado de histeria y desesperación utilices este libro como una herramienta para solucionarlo.

Como te había comentado en mi primer libro, Truquitos Caseros nació con la intención de compartir mis conocimientos y brindar alternativas saludables, fáciles y económicas que te permitirán disfrutar de una mejor calidad de vida. Mi mensaje principal es que volvamos a lo natural, a la Madre Tierra que nos regala su abundancia, y que rescatemos del olvido esas memorables y efectivas "recetas de la abuela", que tanto bienestar nos ofrecen. ¿Y sabes qué? La verdad es que estos Truquitos Caseros funcionan y, a la vez, son muy amigables para tu bolsillo. Así que espero que los disfrutes, y recuerda que… todo lo que necesitas para tu salud, belleza y hogar, lo puedes encontrar en casa.

Sábila

Azúcar negra

Limón

Reduce marcas de cicatrices
·
Alivia quemaduras
·
Ayuda a sanar hernias

Se utiliza para preparar suero casero

Alivia la acidez
·
Fortalece el sistema inmunológico

Excelente como mascarilla para un cabello sedoso y lleno de brillo
·
Previene las arrugas
·
Elimina manchas en el rostro

Remueve espinitas de la espalda
·
Suaviza la piel

Ayuda a bajar de peso
·
Combate el acné

Arregla el sabor de la comida que ha quedado demasiado salada

Excelente blanqueador de ropa

Elimina olores fuertes en la casa

Aceite de almendra

Cebolla

Agua Oxigenada

Combate el estreñimiento

·

Excelente para dar masajes

Fortalece el sistema circulatorio

·

Antiasmático y antiinflamatorio natural

Detiene las hemorragias leves

·

Desinfecta las heridas

Reduce las estrías

·

Hidrata la piel

Promueve el crecimiento del cabello

·

Desinfecta picaduras de insectos

Ayuda a eliminar manchas de la piel

·

Aclara los vellos de la piel

Acondiciona los muebles de cuero

·

Se utiliza para limpiar los muebles de madera

Desaparece el sabor ahumado en el arroz

·

Elimina el olor a pintura

Remueve las manchas de sangre

·

Elimina bacterias de las tablas utilizadas para cortar alimentos

El amor y los mimos de mami y mis abuelitas eran el mejor remedio para aliviar cualquier dolencia.

JH.

Salud

Para aumentar las plaquetas en la sangre

Las plaquetas

Las amigas plaquetas tienen una función muy importante en nuestro cuerpo ya que son los componentes de la sangre que ayudan a su coagulación y si su nivel está bajo puede haber riesgo de una hemorragia. Esto ocurre cuando su conteo baja de las 10,000. El nivel de plaquetas puede bajar por numerosas razones, como por ejemplo enfermedades como el Dengue, deficiencia de vitamina K, anemia hemolítica, leucemia o como resultado de un tratamiento de quimioterapia. Lo importante es mantener un nivel de plaquetas adecuado y tomar las precauciones recomendadas para gozar de una buena salud.

INGREDIENTES

- 1 cucharada de pulpa de sábila
- 1 cucharada de miel de abejas

PROCEDIMIENTO

1. Mezcla la pulpa de sábila con la miel.
2. Toma una cucharada de la mezcla.

Mantener tu sistema inmunológico saludable también te ayudará a mantener un nivel adecuado de plaquetas en la sangre. Para esto se recomienda consumir alimentos que sean naturales y saludables como lo son las frutas, los vegetales, el ajo, las semillas de linaza y los alimentos orgánicos. Además, los alimentos altos en hierro como las lentejas y espinacas contribuyen a aumentar el conteo de las plaquetas.

Una ñapita

Mi truquito favorito para aumentar las plaquetas lo aprendí de una buena amiga que está en tratamiento de quimioterapia. Su truquito es comer guayabas y pimientos rojos ya que su alto contenido de vitaminas y minerales le ha ayudado significativamente a incrementar el nivel de las plaquetas. ¡Gracias Madre Naturaleza!

Para bajar el colesterol

Hay dos tipos de colesterol: el "malo", que es el que puede causar ataques al corazón y problemas arteriales debido a que se adhiere a las paredes de las arterias, y el "bueno", que ayuda a prevenir condiciones del corazón. Hay muchos alimentos que nos regala la Madre Tierra que no solo son altos en el contenido del colesterol bueno, sino que además son deliciosos. Así que además del truquito, comparto contigo algunas notitas sabias y sabrosas que aprendí de mis abuelitas y algunos doctores maravillosos para que disfrutes de un corazoncito saludable… ¡Buen provecho!

INGREDIENTES

- 2 cucharadas de vinagre de cidra de manzana
- 2 cucharadas de miel de abejas
- Opcional: 8 onzas de jugo de uvas Concordia 100 por ciento natural

PROCEDIMIENTO

1. Mezcla el vinagre y la miel de abejas y toma este milagroso mejunje todos los días, al menos dos veces por día.
2. Si se te dificulta al paladar tomarlo puro, puedes añadir al mejunje un vaso de jugo de uvas Concordia, 100 por ciento natural… ¡Mmmm! ¡Delicioso!

Además, si untas a las tostadas una pasta hecha de miel y canela en lugar de mantequilla o mermelada reducirás el colesterol en las arterias y contribuirás a prevenir ataques al corazón.

Para el toque final

En tu ensalada favorita puedes añadir unas lascas de aguacate, unos ricos pistachos o crujiente maní ya que tienen un alto contenido de grasas monoinsaturadas, esas que ayudan a reducir el colesterol.

Para reducir los dolores de artritis

INGREDIENTES

- 1 trozo de jengibre fresco y pelado
- 8 onzas de agua
- Miel de abejas a gusto
- 2 gotas de aceite esencial de eucalipto

PROCEDIMIENTO

1. Hierve el agua con el jengibre.
2. Baja la temperatura y déjalo cocer a fuego lento por cinco minutos.
3. Remueve el jengibre.
4. Sirve el té en tu taza favorita y añádele miel a gusto.
5. Toma este té todas las mañanas o cuando sientas dolor.
6. Aplica una a dos gotas de aceite esencial de eucalipto en el área adolorida para calmar el dolor.

Conoce más...

Se han realizado estudios que demuestran que el jengibre tiene propiedades que incrementan la circulación sanguínea y es posible que la corriente de sangre se lleve consigo los químicos inflamatorios de las articulaciones, reduciendo el dolor de la artritis.

Además, un baño relajante con agua caliente también contribuye a reducir el dolor causado por la artritis, y si le añades unas gotas de aceite de lavanda te ayudará a relajarte. ¡Y ejercítate! Ya que el mantener los músculos en movimiento ayudará a prevenir y a reducir el dolor. Si estás en tratamiento médico consulta con tu doctor qué régimen de ejercicios sería adecuado para ti.

La artritis

El dolor de artritis es causado por un desgaste en los cartílagos, que son como los "shock absorbers" del movimiento de nuestras coyunturas. Cuando se desgasta este componente gelatinoso, los huesos friccionan uno con otro y causa mucho dolor.

Para un buen aliento

El mal aliento o halitosis, como también se le conoce, puede ser causado por diversas razones como haber comido cebolla o ajo. Sin embargo, también puede ser ocasionado por una mala digestión, problemas de las encías, falta de higiene bucal y condiciones gástricas.

Recuerdo que mi abuelita Mama, siempre me decía que anduviera con clavitos de olor en la cartera para masticarlos después de comer y prevenir el mal aliento... ¡especialmente si vas a dar un besito!

INGREDIENTES

- 1 clavito de olor (clavito de cocinar), o
- 1 pedacito de anís, o
- 1 ramito de perejil

PROCEDIMIENTO

1. Luego de comer o cuando sientas mal aliento en la boca, mastica un clavito de cocinar, un pedacito de anís o un ramito de perejil.

El perejil tiene un alto contenido de clorofila, que ayuda a promover un buen aliento y también es excelente para combatir los gérmenes bucales.

Para las picadas de insectos

INGREDIENTE

- Miel de abejas

PROCEDIMIENTO

1. Aplica un poco de miel de abeja en las picadas para bajar la inflamación y prevenir que se infecten.
2. No la remuevas.

Estoy segura que te ha ocurrido.

Saliste al patio a jugar con los niños y <<< ¡OUCH!>>>

Alguien salió lastimado con una picadura. Sé que hay muchísimos remedios caseros que se pueden utilizar para sanarlas, evitar que se inflamen y más aun, evitar que se infecten. No obstante, este siempre fue y sigue siendo mi favorito.

Para reducir la ansiedad

En uno u otro momento la ansiedad se ha apoderado de nosotros ya sea por una circunstancia en la que nos sentimos fuera de control, o por una razón externa que nos afecta emocionalmente. No obstante, hay remedios caseros que pueden ayudar a controlarla y reducirla significativamente. Si te mimas con estos Truquitos Caseros verás como te sientes mejor de inmediato.

INGREDIENTES

- 1 vaso de 8 onzas de leche tibia
- Té de valeriana
- Aceite esencial de lavanda

PROCEDIMIENTO

1. Toma una taza de leche tibia o un té de valeriana cuando sientas ansiedad.
2. También puedes aplicar y frotar dos o tres gotas de aceite esencial de lavanda en la planta de los pies.

Recuerdo que cuando estábamos alterados mi abuelita Teté nos servía una tacita de leche tibia. A mí no me gustaba tomar leche sola, así que ella la disfrazaba con un poco de miel y canela, y así me la tomaba.
(Creo que a escondidas ella también se tomaba una tacita de leche caliente porque la verdad es que no era fácil ¡atender a ocho nietos a la vez!)

Para sanar cortaduras leves

INGREDIENTES

- Saliva
- Manteca de ubre de vaca
- Pimienta molida

PROCEDIMIENTO

1. Inicialmente, si no tienes con qué limpiar la herida o cortadura, ¡lámela con saliva!
2. Otra opción es que untes manteca de ubre de vaca sobre la herida.
3. El aplicar pimienta ayudará a disminuir el dolor ya que es un antiséptico natural contra el dolor, y además tiene propiedades antibióticas.

¡Oh no! ¡Otra vez!

Nos ocurre a todos, niños y no tan niños… las cortaduras inesperadas del diario vivir. Y nos ocurre en todas partes y haciendo cualquier cantidad de cosas como por ejemplo mientras estamos cocinando, cuando los niños están jugando en el patio o practicando algún deporte, en la playa, en fin, la lista es ilimitada. Así que si se trata de una cortadura leve o de una raspadura en las rodillas, hay varios Truquitos Caseros al rescate.

¿¡Que la lama con saliva?!

¡Así es! Leíste correctamente. Estudios del Instituto de Investigación Dental y Craneofacial demostraron que la saliva contiene una proteína que es antiinflamatoria, antiviral, anti-hongo y antibacteriana, y además ayuda a sanar las heridas. ¡Así que lame el área sin reservas!

Pero si te cortaste levemente y lo que necesitas es unir y sellar la piel, entonces aplica con mucho cuidado una gota de *Krazy Glue*. No estoy loca, de acuerdo a los asesores médicos de *Reader's Digest* este contiene el mismo ingrediente que tiene el *Band-Aid* líquido.

Para quitar la resaca o "hangover"

Este truquito es muy solicitado durante la época de las fiestas Navideñas, tenlo siempre a la mano para cuando te tomes unos cuantos traguitos o cervecitas de más y al otro día te levantes sintiendo los efectos (por lo general un mareo particular combinado con un dolor de cabeza que no te deja pensar). Así que aquí está el truquito para la ocasión… (Y si se te mancha la camisa con vino ya sabes dónde encontrar cómo sacarla).

INGREDIENTES

- ¡Mucha agua!
- 1 guineo
- ½ taza de café
- 10-12 pedazos de jengibre fresco
- 4 tazas de agua
- 1 china
- ½ limón
- ½ taza de miel de abejas

PROCEDIMIENTO

1. Ingiere un guineo en cuanto te levantes.
2. Hierve el agua con los pedazos de jengibre por 10 minutos.
3. Cuela el té en un recipiente resistente al calor.
4. Añade el jugo de una china, el jugo de medio limón y la miel.
5. Toma al menos 8 vasos de este té durante el día.

¡Necesitas hidratarte!

Así que antes que nada tómate dos vasos de agua, seguidos por el desayuno perfecto que ayudará a aliviarte: un guineo y media taza de café. El guineo es un excelente amigo para estas indeseables ocasiones ya que devolverá al cuerpo el potasio perdido, mientras que el café desinflamará los vasos sanguíneos en la cabeza. Es importante que limites el consumo del café a media taza ya que podría deshidratarte más de lo que ya estás. También puedes preparar una batida de guineo con leche y miel. Por otra parte, el té de jengibre con cítricos ayudará a hidratar tu cuerpo rápidamente.

¡Verás que te sentirás mejor!

Para limpiar el sistema digestivo

Este truquito que comparto aquí te ayudará a limpiar el sistema digestivo de toxinas y de paso te ayudará a bajar unas pocas libritas (que posiblemente sean más agua que grasa), y es un buen complemento al comenzar una dieta acompañada de un régimen de ejercicios básico. ¡Todo depende de ti!

Así que a comer saludable y a ejercitarte para que logres esa meta tan importante. ¡Yo voy a ti!

INGREDIENTES

*   Té verde
*   8 onzas de agua
*   Jugo de un limón

PROCEDIMIENTO

1. Hierve el agua.
2. Déjala entibiar y añade el jugo de limón.
3. Bebe el té en la mañana, en ayunas, durante cinco días consecutivos.

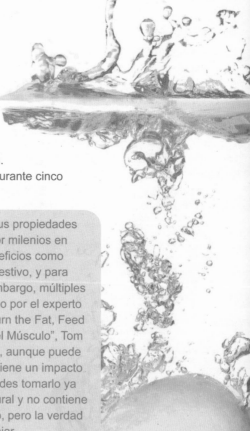

Hay muchos mitos sobre el té verde y sus propiedades para rebajar. Este ha sido utilizado por milenios en la medicina china e india por sus beneficios como estimulante, diurético, astringente, digestivo, y para regular la temperatura del cuerpo. Sin embargo, múltiples estudios realizados y un reporte publicado por el experto en reducción de peso y autor del libro "Burn the Fat, Feed the Muscle" (Quema la Grasa, Alimenta el Músculo", Tom Venuto, han demostrado que en realidad, aunque puede estimular el metabolismo, el té verde no tiene un impacto significativo en la pérdida de peso. Puedes tomarlo ya que es una bebida muy saludable, es natural y no contiene calorías, así que no te hará subir de peso, pero la verdad es que tampoco te hará rebajar.

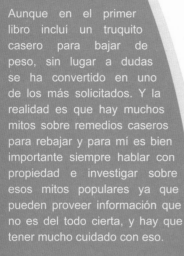

Aunque en el primer libro incluí un truquito casero para bajar de peso, sin lugar a dudas se ha convertido en uno de los más solicitados. Y la realidad es que hay muchos mitos sobre remedios caseros para rebajar y para mí es bien importante siempre hablar con propiedad e investigar sobre esos mitos populares ya que pueden proveer información que no es del todo cierta, y hay que tener mucho cuidado con eso.

Si realmente tienes la intención de bajar de peso, no existe un remedio milagroso que haga que en un abrir y cerrar de ojos pierdas esas libritas de las cuales quieres deshacerte. La cruda realidad es que para bajar de peso saludablemente hay tres cosas importantes que debes hacer: ingerir alimentos saludables y bajos en grasa, aguantar el pico ante las tentaciones y ejercitarte. De lo contrario, es posible que no logres los resultados que esperas, por lo menos a largo plazo.

Para los mareos y desmayos inesperados

Recuerdo que cuando estaba en escuela primaria, mientras jugaba con mis amigas durante la hora de la merienda resbalé y aterricé con la frente en la esquina de un banco de madera. El golpe y el dolor fueron tales que me desmayé del impacto y desperté cuando sentí un fuerte olor a alcohol en la nariz. De ahí en adelante se convirtió en mi remedio santo para los mareos y desmayos. Ah, y para terminar la historia... me llevaron corriendo al hospital donde tuvieron que tomarme varios puntos en la herida. Mami me untó pulpa de sábila todos los días para cicatrizar la herida, que desapareció como por arte de magia.

MATERIALES

- Alcohol
- Algodón

PROCEDIMIENTO

1. Moja el algodón con el alcohol.
2. Pasa el algodón por la nariz hasta que la persona reaccione.

Para bajar la hinchazón de los pies

INGREDIENTES

- 1 galón de agua caliente (¡Pero no tan caliente que te queme la piel!)
- ½ taza de sal de higuera ("Epsom Salt")
- Opcional: 5 gotas de aceite esencial de lavanda

UTENSILIOS

- 1 palangana o recipiente en el cual puedas introducir los pies cómodamente
- 1 toalla

PROCEDIMIENTO

1. Vierte el agua caliente en la palangana.
2. Añade la sal de higuera y el aceite esencial de lavanda.
3. Sumerge los pies en la palangana hasta que queden totalmente cubiertos por el agua.
4. Déjalos reposar en el agua hasta que esta se haya enfriado.
5. Remueve los pies del agua y sécalos con una toalla.

A mis dos abuelas, abuelita Teté y Mama, se les hinchaban los pies cuando caminaban mucho… y a ambas les encantaba caminar. Uno de los recuerdos más gratos que guardo de mi niñez es que toda la familia se reunía para almorzar en casa de abuelita Teté y abuelito Franco. Podría decir que el menú era casi "a la carta" porque abuelita Teté no escatimaba en complacer los gustos de todos. Pero eso requería, además de mucho amor, preparación. Así que todos los días abuelita Teté caminaba desde su casa en la parada 18 en Santurce hasta la Plaza del Mercado para comprar los ingredientes más frescos del día, y de ahí regresaba a la casa para dar comienzo a la confección culinaria. Luego del almuerzo, cuando todos se iban, abuelita se sentaba en el sillón de la sala y sumergía los pies en la palangana con el agua milagrosa que le ayudaba a bajar la hinchazón de los pies. Años más tarde, cuando visitaba a Mama en Arecibo y veía que tenía los pies hinchados, le encantaba que la mimara con este tratamiento mágico y además un masajito de amor. Son recuerdos que guardo en mi corazón para siempre ahora que mis abuelas ya no están conmigo.

La Real Academia de la Lengua Española define una palangana como una vasija en forma de taza, de gran diámetro y poca profundidad, que sirve principalmente para lavarse la cara y las manos. Recuerdo que mi abuelita Teté tenía una palangana suficientemente grande para bañarnos en el patio de la casa, para lavar la ropa y hasta para hacerse su pedicura.

Para aliviar el dolor de garganta

INGREDIENTES

- Jugo de 3 limones
- 1 cucharada de miel
- 1 pizca de sal

PROCEDIMIENTO

1. Añade la miel, la sal y la pimienta roja al jugo de limón y tómalo lentamente.
2. Repite tres veces al día hasta que se haya ido el dolor.

En casa había un árbol de limones y cuando
estaban en temporada había limonada
para todo el vecindario.

. . . .

Recuerdo este elíxir mágico que mami nos preparaba cada vez
que nos daba dolor de garganta, y como el limón tiene un sabor tan
fuerte y rico me lo tomaba con gusto porque no sabía a medicina.
La magia de este sabroso brebaje está en que la miel cubrirá la
garganta con una capa que dará alivio a los tejidos irritados mientras
que el limón contribuirá su alto contenido de vitamina C para
combatir la infección y además reducirá la inflamación.

Para las dolorosas e incómodas hemorroides

Las dolorosas hemorroides

Estas se forman cuando las venas que están en el interior del recto y el ano se inflaman ocasionando que la sangre no fluya adecuadamente y se acumule en las mismas. Es un padecimiento bastante común ya que se dice que cerca de la mitad de la población en el planeta ha sufrido de ellas en algún momento de su vida. ¡Ouch!

Existen dos tipos de hemorroides: las internas, que por lo general no duelen pero pueden sangrar ocasionalmente, y las externas o con una protuberancia por fuera del ano, que son las que regularmente se conocen por las molestias y dolores que producen.

INGREDIENTES

- Pulpa de sábila
- Bolsita de té negro
- Vaselina o vitamina E en líquida

PROCEDIMIENTO

1. Aplicar la pulpa de sábila directamente sobre la hemorroide.
2. Mojar la bolsa de té con agua caliente y colocarla sobre la hemorroide por 10 minutos.
3. Aplicar vaselina o vitamina E líquida en el área afectada.

Tomando en consideración que el curar las hemorroides puede tardar más o menos una semana, y que haciendo pequeños cambios en tu estilo de vida y alimentación podrías evitar o reducir significativamente la posibilidad de tener que vivir con estas dolorosas e incómodas acompañantes, yo preferiría prevenirlas a tener que remediarlas.

Otro truquito que ayudará a sanar y aliviar las hemorroides es darte un baño de asiento con agua tibia y sal de higuera.

¿Qué hace el té negro?

El ácido tánico del té ayudará a reducir el dolor e inflamación, y a parar el sangrado.

¿Pero qué causa las hemorroides?

Por lo general son prácticas que realizamos en el diario vivir. Entre las más comunes están una dieta baja en fibra, falta de ejercicio y agua, la obesidad y el estar sentado demasiado tiempo. También pueden ser propensas durante el embarazo y cuando padecemos de estreñimiento. Para solucionar la situación aquí comparto algunos Truquitos Caseros que te ayudarán a aliviarlas.

Para la conjuntivitis

INGREDIENTES

- Un ramo de perejil
- 2 tazas de agua
- Café recién colado (déjalo enfriar)

MATERIALES

- Algodón

PROCEDIMIENTO

1. Hierve el ramo de perejil en el agua por diez minutos y luego déjalo enfriar.
2. Cuela el agua y colócala en un recipiente que guardarás en la refrigeradora.
3. Moja un algodón con el agua de perejil y colócalo sobre el ojo por cinco minutos.
4. Otro truquito efectivo para la conjuntivitis es poner un algodón empapado en café recién colado sobre los ojos por cinco minutos.
5. En ambos truquitos, repite el proceso diariamente, por lo menos 3 veces al día hasta que la conjuntivitis haya desaparecido.

¡Recuerda lavarte bien las manos cada vez que hagas el procedimiento para evitar el contagio a otra persona! Y además, cambia la ropa de cama, especialmente la de la almohada, diariamente.

Para los músculos trepados o calambres en las piernas

INGREDIENTES

- 8 onzas de agua tónica
- Agua caliente (para mojar una toalla pequeña)
- Vitamina E
- Chinas mandarinas, melón cantalupo y bananas

UTENSILIO

- Toalla pequeña

PROCEDIMIENTO

1. Tómate un vaso de agua tónica antes de acostarte.
2. Moja una toalla pequeña en agua caliente (o caliéntala en el horno de microondas) y colócala sobre el área afectada.
3. Ingiere las chinas mandarinas, el melón cantalupo y las bananas, que tienen un alto contenido de potasio.

Si te sorprende un calambre en las piernas, siéntate en el piso con las piernas estiradas y usando la palma de las manos estira hacia ti la punta de los dedos de los pies. Inhala y exhala lenta y profundamente diez veces, y luego relaja las piernas. Si el calambre persiste, repite el proceso hasta que se haya ido.

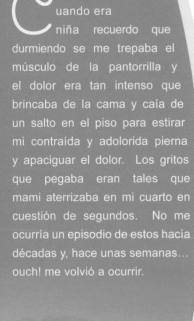

C uando era niña recuerdo que durmiendo se me trepaba el músculo de la pantorrilla y el dolor era tan intenso que brincaba de la cama y caía de un salto en el piso para estirar mi contraída y adolorida pierna y apaciguar el dolor. Los gritos que pegaba eran tales que mami aterrizaba en mi cuarto en cuestión de segundos. No me ocurría un episodio de estos hacía décadas y, hace unas semanas… ouch! me volvió a ocurrir.

¿Qué hace el agua tónica?

El agua tónica contiene quinina, que es un remedio usado popularmente para tratar los calambres en las piernas. Además es importante que tomes mucha agua durante el día para mantener el cuerpo hidratado y así evitar los calambres, especialmente si estás haciendo ejercicios.

Para la rosácea

Si tus cachetes parecen estar sonrojados sin razón evidente (no te han hecho pasar una vergüenza ni algo por el estilo), es posible que padezcas de rosácea, una condición en la cual los vasos sanguíneos de la cara se dilatan, llenándose de sangre y consecuentemente la cara se ve roja. Muchas personas me han escrito para preguntarme por un truquito para tratar este padecimiento, así que comencé a investigar sobre el mismo. La verdad es que no parece haber una causa específica que la provoque, y tampoco hay una cura para ella. Sin embargo, entre las recomendaciones más populares están el abstenerse de comer alimentos muy condimentados, piques y alcohol, además de tomar medidas preventivas como bajar el nivel de estrés, evitar el sol y mantenerse lejos del calor.

INGREDIENTES

- Agua helada
- 5 bolsas de té de manzanilla
- 1 litro de agua

UTENSILIOS

- 1 recipiente para 1 litro de líquido
- Algodón

PROCEDIMIENTO

1. Refresca tu cara con mucha agua helada cuando se presente la rosácea.
2. Hierve 5 bolsas de té de manzanilla en un litro de agua.
3. Retira las bolsas de té, vierte la infusión en un recipiente de 1 litro y guárdalo en el refrigerador.
4. Moja un algodón en la infusión fría y pásalo por la cara cada vez que se enrojezca.

Si tienes rosácea debes tratar tu cutis como si fuera una perla.

Es importante que evites usar productos irritantes, ácidos, abrasivos o exfoliantes para limpiar tu cara ya que estos empeorarán la rosácea. Sí te recomiendo utilizar un jabón humectante y cremoso, y si puede ser natural a base de aceite de oliva, aceite de coco, manzanilla y/o sábila, mejor aún.

Para la sinusitis

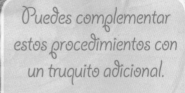

INGREDIENTES

- 1 diente de ajo
- ½ cucharadita de sal
- 4 cucharaditas de agua
- Aceite esencial de eucalipto o hojas de eucalipto naturales
- Té de manzanilla

UTENSILIOS

- 1 olla con agua hirviendo
- 1 toalla
- 1 gotero

PROCEDIMIENTO

1. Machaca el diente de ajo con la sal hasta formar una pasta.
2. Añade el agua al ajo machacado y mézclalos bien, hasta formar una sustancia homogénea.
3. Introduce la solución dentro de un gotero.
4. Aplica 10 gotas de la solución en cada cavidad nasal.
5. Repite el procedimiento 2 veces al día.
6. Bebe té de manzanilla durante el día para ayudar a desprender la mucosidad.

$\mathcal{L}$as cavidades nasales ubicadas a ambos lados de la nariz están cubiertas por una delgada membrana que cuando se encuentra infectada o hinchada bloquea el conducto por el cual se secreta la mucosidad, resultando en presión que causa dolores de cabeza, dolor en la cara, y congestión nasal… es decir, sinusitis. Pues tengo buenas noticias, lo que necesitamos es abrir esos conductos respiratorios y hay varios Truquitos Caseros para lograrlo.

Puedes complementar estos procedimientos con un truquito adicional.

En una olla, hierve agua con hojas de eucalipto naturales o diez gotas de aceite esencial de eucalipto. Coloca la cabeza a una distancia de aproximadamente doce pulgadas sobre el vapor y tapa tu cabeza y la olla con una toalla para preservarlo. Inhala y exhala el aroma del eucalipto lenta y profundamente, por lo menos cinco minutos. Esto ayudará a abrir los conductos nasales y a soltar la mucosidad, lo cual producirá gran alivio. Puedes repetir el procedimiento cada vez que sientas congestión… Aún recuerdo la primera vez que experimenté este truquito. Tendría como 5 años de edad y abuelita Mama me subió sobre una silla para estar a la altura de la estufa e inhalar el milagroso vapor del eucalipto. ¡Eso sí que es una nariz feliz!

Remedios santos para sanar las uuuúlceras estomacales o gástricas

Acidez, quemazón punzante en el área entre el estómago y el ombligo, dolor intenso, incomodidad, distensión abdominal, eructos, sangre al evacuar… Estos son solo algunos de los síntomas que producen las indeseadas úlceras estomacales, que también se conocen como úlceras gástricas o úlceras pépticas.

¿Pero qué es una úlcera estomacal?

Es una lesión en las membranas mucosas del estómago. ¿Su causante? Hay varios. Una de las principales es la bacteria Helicobacter pylori, también conocida como H. pylori, que produce infecciones en el sistema digestivo. Pero además se le atribuye al desarrollo de úlceras el hecho de mantener una alimentación inadecuada, el estrés, el consumo de tabaco o alcohol, y el uso de algunos medicamentos antiinflamatorios no esteroides utilizados con regularidad para combatir el dolor como lo son la aspirina, la cortisona y el ibuprofeno.

INGREDIENTES

- Pulpa de 1 penca de sábila
- 4 onzas jugo de arándanos ("cranberry")
- 1 cucharada de leche de magnesia
- Cebollas, linaza, miel y yogur natural

PROCEDIMIENTO

1. Mezclar el jugo de arándanos con la sábila.
2. Tomar diariamente en ayunas todas las mañanas hasta que haya desparecido la úlcera.
3. ¡Puedes preparar un limber o frappe como alternativa al jugo! Así te lo saboreas como si fuera un delicioso postre.
4. Mantén una ingesta continua de miel, cebollas y linaza en tu dieta diaria. La miel ayudará a prevenir la formación de H. pylori, la cebolla neutraliza esta bacteria, y la linaza creará una capa babosa protectora alrededor de las paredes del estómago. Además, se recomienda comer mucho yogur por su alto contenido de bacterias beneficiosas que previenen la formación de H. pylori.

Ñapita

Varios chamanes y curanderas que he conocido en distintos lugares coinciden en que un remedio efectivo para sanar las úlceras en solo 7 días es el jugo de repollo crudo. Esto fue comprobado en un estudio dirigido por el Dr. Garnett Cheney en la Universidad de Stanford durante los años cincuenta. Su efectividad se debe a su contenido de glutamina, un aminoácido que nutre las células del tracto gastrointestinal. Puedes prepararlo en un procesador de jugos o bien puedes conseguirlo en un establecimiento de productos naturales.

Para controlar el imprudente hip-hip-hiP-Hipo

Tuve la oportunidad de cantar en el Coro de Niños de San Juan desde los 4 hasta los 16 años de edad. Aprendí a leer y escribir música antes de aprender a leer y escribir palabras, así que llevo la música en la sangre y en el corazón. Es un elixir mágico para mi alma y mi ser (aunque ahora solo canto en la bañera o manejando mi auto). Siempre recuerdo que en los conciertos, justo antes de entrar al escenario, a alguien le daba un ataque de hipo. Ahí llegaba Papa Pito, quien era como un papá para todos en el Coro, con sus remedios anti hipo… desde hacernos cosquillas, hasta darnos sustos inesperados. Pero el clásico era presionar suavemente detrás del hueso inferior de las orejas mientras nos hacía aguantar la respiración hasta que no pudiéramos más …

¡Ese nunca fallaba! Y de ahí, ¡Todos a al escenario!

Nadie sabe qué lo causa pero nadie se salva de él. Se caracteriza por su entrada triunfal en tu cuerpo, cuando menos lo esperas. Así suele ser. Llega de repente, sin aviso, en el momento menos oportuno, en el lugar menos adecuado, y nos puede llegar a causar las situaciones más embarazosas…o graciosas. Todo depende de dónde y con quién te encuentres, y la situación. Para remediarlo he escuchado cientos de truquitos. Aquí te incluyo los que he tratado y sé que te ayudarán a poner fin a este intruso desesperante lo más rápido posible.

INGREDIENTES

- ½ limón, 1 pepinillo agrio (dill pickle) o 1 cucharada de vinagre de cidra de manzana
- 1 bebida caliente y sin alcohol

PROCEDIMIENTO

1. Chupa medio limón o medio pepinillo agrio.
2. Bebe una cucharada de vinagre de cidra de manzana.
3. Toma alguna bebida lo mas caliente que puedas tomarla, lentamente, hasta que desaparezca el hipo.

Truquito clásico de Papa Pito para quitarnos el hipo

Inhala profundamente, aguanta la respiración lo más que puedas. Luego exhala y deja de presionar el área de la oreja. Repite el procedimiento de ser necesario.

La ñapita: Respira profundamente varias veces mientras presionas con el puño de la mano en el pecho, justo debajo de las costillas, y dile a tu pareja que te de un beso largo y apasionado luego de la tercera exhalación.

Para parar las carreritas al baño (sí, las diarreas)

Esta es otra de esas situaciones que te paraliza, ya que no tienes otra alternativa que mantenerte bien cerca de tu compañero más fiel en esos momentos tan impredecibles… el inodoro. Ya sea causada por una indigestión, por un mal rato, o por alguna condición de salud, las diarreas nos pueden tocar a todos. ¿La buena noticia? Los remedios caseros han probado ser infalibles para ponerles fin.

INGREDIENTES

- Té negro
- Azúcar morena o miel de abejas a gusto
- 1½ taza de agua
- 3 moras ("blackberries") o frambuesas ("raspberries")
- Zanahorias hervidas

PROCEDIMIENTO

1. Toma té negro caliente con un poco de azúcar morena o miel de abejas.
2. Hierve las moras o frambuesas en 1½ tazas de agua por diez minutos.
3. Cuela este té y tómalo caliente.
4. Tómalo varias veces al día.

*Si no consigues moras o frambuesas naturales, puedes comprar las bolsitas de té pero asegúrate de que contienen hojas de moras o frambuesas, de lo contrario, no surtirán el efecto deseado.

Importante, las diarreas muy posiblemente te deshidraten, así que debes hidratar tu cuerpo luego de que hayas pasado la odisea mayor.

La magia del té…

El té es uno de los remedios caseros más beneficiosos para contrarrestar las diarreas. El té negro te ayudará a rehidratar tu cuerpo, a reducir la inflamación intestinal y a bloquear el que el intestino absorba toxinas, y la azúcar incrementará la absorción de sodio. Otros tés que puedes ingerir son los de moras o frambuesas, que aparte de ser frutas deliciosas, son ricas en taninos, unos compuestos polifenólicos amargos y astringentes que han sido utilizados por milenios para tratar diversas enfermedades.

La dieta más apropiada para ayudar a que tu sistema digestivo regrese a su normalidad son los guineos, las galletas de soda, arroz blanco sin grasa y compota o puré de manzana.

Para promover una mejor memoria

Pero… ¿dónde fue que dejé las llaves que no las encuentro por ninguna parte? A todos nos pasa una que otra vez. Tenemos una repentina pérdida de memoria. No obstante, con el pasar de los años la pérdida de memoria puede incrementar, lo que podría llegar a ser sumamente frustrante, tanto para la persona que la sufre como para sus familiares. Para prevenir la pérdida de memoria es importante no solo ingerir alimentos saludables, sino también ejercitar nuestro cerebro. Es lamentable reconocer que vivimos una realidad global en la que cada día pensamos menos y nuestra mente se vuelve más sedentaria ya que la tecnología está realizando gran parte de las labores que antes esta realizaba. Como por ejemplo… saberte de memoria los números telefónicos que más utilizas, hacer cálculos matemáticas manualmente (y no hay excusas porque mi abuela Mama los hizo así hasta sus 90 años – nunca usó una calculadora), jugar deportes en lugar de juegos electrónicos… en fin, la lista podría tomarme un libro completo. ¿Mi recomendación? Además de ingerir los regalos que nos brinda la Madre Naturaleza que ayudan a promover una mejor memoria, sé proactivo y comienza a ejercitar la mente y el cuerpo al menos un 10 por ciento más de lo que lo haces ahora. Verás una diferencia significativa en tu retención y capacidad cerebral, tu salud mental y física y tu estilo de vida. Así que como dice mi artista gráfico Falu: "olvídate de olvidar dónde fue que dejaste estacionado el carro en el centro comercial" (uno de sus lugares favoritos) y pon a ejercitar esa mente maravillosa de inmediato.

Otros truquitos memorables

Estudios han demostrado que el inhalar el olor de los aceites esenciales de romero y de albahaca agudiza el estado de conciencia. Puedes usarlos en el cabello (el romero casualmente promueve el crecimiento del mismo) o sobre alguna prenda de vestir (¡pero ten cuidado que no la manchen!).

ALIMENTOS QUE PROMUEVEN UNA MEJOR MEMORIA

Pescado • Alcachofas • Pistachos • Dátiles • Pasas • Miel
Aceite de Oliva • Ginko Biloba

¿ALGUNAS IDEAS?

1. Consumir alcachofas y pescado de 2 a 3 veces por semana.
2. Tomar una cucharada de miel y/o 7 onzas de Ginko Biloba todas las mañanas.
3. Comer dátiles, pasas y pistachos en las meriendas o añadirlos a tus ensaladas favoritas.
4. Cocinar o añadir aceite de oliva a tus ensaladas.

Tip

Hacer crucigramas, Sudoku y rompecabezas también son excelentes alternativas para ejercitar el cerebro, así que ahí tienes otra opción para promover una mejor memoria.

A través de mi
infancia y juventud
mis abuelitas me
revelaron muchos de los
secretos de belleza de
sus abuelas.

JH.

Belleza

Para remover el maquillaje de los ojos

INGREDIENTE

- 2 a 3 gotas de aceite de oliva

PROCEDIMIENTO

1. Aplica unas gotas de aceite de oliva en tu dedo anular.
2. Masajea delicadamente en el área de los ojos para remover el maquillaje.
3. Lava tu cara como de costumbre.

¡Trátalo y verás!

He visto en las tiendas cientos de productos para remover el maquillaje de los ojos. Tantos, que si tuviera que escoger uno no sabría por donde empezar. La realidad es que desde pequeña mi abuelita me confió uno de sus grandes secretos para mantener esos ojos espectaculares que tenía, y muy posiblemente tienes el preciado producto en la cocina. A través de los años lo he usado y te confieso que para mí es el mejor desmaquillador. No solo dejará tus ojos libres del maquillaje y sin residuos, sino que también los mantendrá humectados y hasta te ayudará a prevenir las indeseables arrugas.

¡Este truquito también es excelente para remover esos maquillajes espectaculares que creas para la fiesta de la Noche de Brujas!

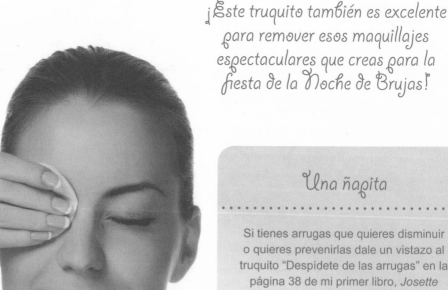

Una ñapita

Si tienes arrugas que quieres disminuir o quieres prevenirlas dale un vistazo al truquito "Despídete de las arrugas" en la página 38 de mi primer libro, *Josette y sus Truquitos Caseros*, donde te revelo cómo lograrlo.

Jabón instantáneo para controlar la piel grasosa

El exceso de grasa en la piel es causado cuando las glándulas sebáceas producen demasiado sebo, la sustancia que protege nuestra piel. El exceso de sebo puede causar que se tapen los poros y producir acné. No obstante, hay truquitos caseros que pueden ayudarte, como este jabón para utilizar todos los días que podrás confeccionar en menos de 3 minutos.

INGREDIENTES

- 2 cucharaditas de maicena
- ½ taza de agua

PROCEDIMIENTO

1. Mezcla la maicena con el agua hasta formar una solución homogénea.
2. Lava la cara con la solución.
3. Enjuaga con abundante agua tibia.

Además, si te estás preguntando qué otra cosa puedes hacer para combatir la piel grasosa, ese truquito lo encontrarás en la página 61 de mi primer libro…

Tip

Aunque no lo creas, la piel grasosa, como todo en la vida, también tiene sus beneficios. Si tienes la piel grasa con el pasar de los años descubrirás que muy posiblemente tendrás menos arrugas que una personas con piel seca. ¡Así que todo tiene su lado positivo!

Mascarilla de frutas para una piel de porcelana

Sobre el Cutis

La piel facial es mucho más delicada y sensitiva que la del resto del cuerpo por lo que para mantenerla bien cuidada necesita recibir atención especial. La buena noticia es que el cuidar de tu cutis, lejos de ser algo costoso y complicado, puede ser algo muy divertido, fácil y económico. ¿Cómo? ¡Con un manjar frutas! Además de ser sabrosas, su alto contenido de vitaminas y nutrientes no solo te ayudarán a gozar de una mejor salud cuando las ingieras, sino que también puedes aprovechar sus beneficios para lucir una piel como porcelana. Así que acércate a la cocina a buscar todo lo que necesitas y prepárate para lucir espectacular. Está permitido comerte un ñaqui de tu fruta favorita mientras preparas esta mascarilla, te advierto que va a ser algo irresistible.

INGREDIENTES

- 4 a 5 fresas
- 8 a 10 uvas
- ½ pera
- ½ manzana
- 1/4 de taza de mangó
- 1 onza de jugo de naranja natural
- 1 cucharada de miel
- 1 cucharada de vinagre blanco

UTENSILIOS

- Licuadora
- Recipiente para la mascarilla
- 1 a 2 algodones

PROCEDIMIENTO

1. Mezcla las frutas y el jugo de china en la licuadora y vierte la mezcla en un recipiente.
2. Aplica una capa fina de miel en toda la cara.
3. Encima de la capa de miel, aplica la mezcla de frutas.
4. Déjala reposar por 30 minutos.
5. Enjuaga la cara con abundante agua tibia.
6. Pasa un algodón con vinagre por toda la cara

¿Porqué vinagre?

El toque final del vinagre balanceará el PH de tu piel.

Un truquito de uso diario para reducir las arrugas

INGREDIENTE

- Aceite de oliva

PROCEDIMIENTO

1. Aplica una gota de aceite de oliva alrededor de los ojos todas las mañanas luego de lavar tu cara.
2. Repite el proceso en la noche antes de acostarte.

Y una ñapita para disminuir las arrugas de las manos…

INGREDIENTES

- 1 cucharada de avena
- 1 cucharada de vitamina E en líquido (puedes abrir una cápsula y extraer su líquido)
- 1 cucharada de miel
- 1 cucharada de crema de leche

UTENSILIOS

- 1 par de guantes
- 1 recipiente pequeño

PROCEDIMIENTO

1. Mezcla todos los ingredientes en un recipiente pequeño hasta que obtenga una consistencia homogénea.
2. Aplica y espárcela en las manos.
3. Introduce las manos dentro de los guantes durante 40 minutos
4. Remueve los guantes de las manos y enjuaga las manos con abundante agua fria.

¡¡Esas arrugas que tanto tememos!!

En el libro pasado compartí varios truquitos para disminuirlas, pero las solicitudes de más truquitos para remediar las aterradoras patas de gallo alrededor de los ojos han sido tantas que aquí va otro truquito que pueden realizar todos los días.

Para reducir las estridentes estrías

INGREDIENTES

- Aceite de almendras

PROCEDIMIENTO

1. Aplica unas gotas de aceite de almendras en las zonas afectadas.
2. Frota suavemente en movimientos circulares por aproximadamente un minuto.
3. Repite el proceso todas las mañanas.

¿Quién aguanta esas estridentes líneas blancas o rojizas que misteriosamente se plantan en las áreas más sexy de nuestro cuerpo?

La verdad es que es inevitable mirarlas y querer desaparecerlas instantáneamente.

Si estás preocupada por las estrías, este truquito casero es uno de mis secretos para reducirlas. Si lo realizas todos los días notarás que, poco a poco, las instrusas irán disminuyendo.

Exfoliante corporal para renovar y suavizar la piel

INGREDIENTES

- 3 a 5 cucharadas de borra de café recién colado
- 1 cucharada de sal

PROCEDIMIENTO

1. Mezcla la borra de café recién colado (no debe pasar media hora desde que lo cuelas) con la sal.
2. Entra a la ducha y moja tu cuerpo.
3. Frota la mezcla por todo el cuerpo y luego enjuágate con abundante agua.

Para controlar el cabello grasoso

INGREDIENTES

- Un ramo de romero
- Aceite esencial de romero
- 1 galón de agua

PROCEDIMIENTO

1. Hierve el ramo de romero en el galón de agua.
2. Baja el fuego y déjalo reposar durante 15 minutos.
3. Cuela el agua y viértela en un recipiente.
4. Cada vez que te laves el cabello, haz un enjuague final con el agua de romero.
5. Añade al pote de shampoo y/o de acondicionador cinco gotas de aceite esencial de romero.

Tip

Cada vez que te laves el cabello, enjabónalo con shampoo dos veces y déjalo reposar unos minutos para que absorba la grasa antes de enjuagarlo con agua.

Otro truquito para combatir la grasa excesiva en el cabello es mezclar a partes iguales vinagre con agua y usar esta solución como enjuague final luego del lavado.

Spa "scrub" de chocolate para dos

Por milenios el chocolate ha sido popularmente considerado como un afrodisiaco natural, aunque otros dicen que son solo cuentos. La realidad es que el chocolate puro contiene un químico llamado fenetilamina, que algunos aseveran que podría influir en la excitación y la atracción sexual. Pero sea o no afrodisiaco, el chocolate sigue siendo una de las delicias más irresistibles que hay… no solo para comer, sino para sumergirte en este baño en el que te puedes deleitar, y si es en compañía, me cuentas tú si resulta ser o no afrodisiaco… La conclusión la dejo a tu imaginación.

INGREDIENTES

- 3 cucharadas de agua
- 3 cucharadas de miel
- 3 cucharadas de canela molida
- 2 cuadritos de cacao
- 1 taza de azúcar

- ½ taza de aceite de almendra
- ⅛ cucharadita de extracto de vainilla
- ¼ taza de nuez moscada rallada
- Opcional: 4 gotas de aceite esencial de sándalo

UTENSILIOS

- 1 cuchara de madera
- 1 recipiente de plástico o cristal
- Olla pequeña profunda

- Molde con agua sobre el cual se colocará el olla en la estufa (para hacer un baño de María), o puede utilizar el microondas

PROCEDIMIENTO

1. Derrite el chocolate con el agua y la miel en baño de María o en el horno microondas por 30 segundos.
2. Añade el azúcar, la canela, el aceite de almendras y la nuez moscada, y mezcla bien todos los ingredientes utilizando una cuchara de madera.
3. Vierte la mezcla en un contenedor.
4. Durante una ducha tibia, aplica la mezcla y frota por el cuerpo haciendo movimientos circulares.
5. Enjuaga con abundante agua.

Nota

El chocolate se elabora con la semilla que nace del árbol Teobroma, o árbol de cacao, que en griego significa "alimento de los dioses". Se dice que ya para el año 1500 antes de Cristo lo habían encontrado en los bosques tropicales de Centro América y su valor era tan preciado que lo utilizaban como pieza de intercambio monetario.

Para secar los barritos

INGREDIENTES

- 1 cucharadita de bicarbonato sódico ("baking soda")
- ½ cucharadita de agua
- Opcional: Jabón de avena

UTENSILIOS

- Licuadora
- Recipiente para la mascarilla

PROCEDIMIENTO

1. Mezcla el bicarbonato sódico con el agua hasta formar una pasta homogénea.
2. Antes de acostarte a dormir aplica una pizca de la pasta en las áreas infectadas y no la enjuagues.
3. En la mañana lava la cara con jabón de avena.

El jabón de avena es muy efectivo para controlar la grasa ya que la absorbe, y por eso es muy conocido por sus propiedades para ayudar a controlar el acné.

Otro truquito efectivo para esos indeseables barritos es aplicar una gotita de alcohol o aceite esencial de melaleuca directamente en el área. Ambos ayudarán a secar y desinfectar el área.

Datos históricos interesantes

De acuerdo al Bermuda Hospitals Board, el famoso explorador británico Capitán Cook descubrió que las aromáticas y resinosas hojas del árbol de melaleuca (en inglés tea tree), producían un deleitoso té. Ciento cincuenta años más tarde el alquimista gubernamental australiano A.R. Penfold realizó estudios que revelaron sus propiedades antisépticas. Como resultado de sus estudios, el aceite de melaleuca se convirtió en un producto imprescindible para la prevención y el tratamiento de infecciones de heridas en Australia. Tanto así, que durante la Segunda Guerra Mundial el gobierno australiano clasificó el preciado aceite como un bien esencial y eximió a sus productores del servicio militar. Sin embargo, cuando los antibióticos comenzaron a tener amplia disponibilidad, el aceite de melaleuca comenzó a perder popularidad.

Para las horripilantes verrugas

Recuerdo que cuando estaba en escuela intermedia una amiga me contó que iba a visitar al dermatólogo esa tarde para que le quemara una verruga que tenía en el dedo. Quedé atónita al escuchar esto pues mi abuelita siempre nos curaba las verrugas en casa. Así que como buena amiga compartí el secreto familiar y le dije que si quería lo tratara, y que si no funcionaba siempre podía hacer el procedimiento médico. Me había hasta olvidado de nuestra conversación hasta que unas semanas más tarde nos cruzamos y voilá… su verruga había desaparecido con el truquito de Abuelita Teté.

INGREDIENTES

- 1 diente de ajo pelado
- 1 gota de aceite de castor

MATERIALES

- Una lima de uñas o piedra pómez
- Un pedazo de cinta adhesiva de las utilizadas para realizar trabajos de electricidad

PROCEDIMIENTO

1. Frota la verruga y su base con la punta del diente de ajo.
2. Aplica sobre esta una gotita de aceite de castor.
3. Cúbrela con la cinta adhesiva y mantenla ahí por aproximadamente una semana.
4. Cuando se caiga la cinta adhesiva enjuaga el área bien con jabón y agua.
5. Frota la verruga con la lima o piedra pómez y déjala al descubierto durante la noche.
6. Repite el proceso completo nuevamente hasta que desaparezca la verruga.

¿Sabías que las verrugas son causadas por el virus de papiloma humano (HPV)?

Así es. La verruga se crea cuando el HPV se infiltra dentro de una pequeña cortadura en la piel. Pero no te asustes, mejor, avanza a poner en práctica este truquito para que veas cómo pondrás fin a esta atrevida que ha llegado sin invitación.

Otro truquito al que puedes recurrir es cubrir la verruga con una hoja de albahaca y aguantarla con una curita o con cinta adhesiva. Cámbiala diariamente hasta que la verruga se caiga.

Para sanar la irritación en la piel causada por las navajas (y para las crisis cuando se te acaba la crema de afeitar)

Si eres tan velludo o velluda como muchas personas que conozco, el afeitarse puede ser un suplicio diario para ti. Pero no necesariamente el no tener una gran cantidad de vellos te exime de la tortura "post-afeitorum". Te lo digo yo, que soy casi lampiña, porque cada vez que me afeitaba (antes de conocer este truquito que me reveló la tía de una amiga que visité en Colombia) la piel se me pelaba e irritaba de tal manera que enseguida se me brotaba y ardía como si fuera una quemazón que ni te imaginas. Y te cuento que traté todo tipo de navajas… para pieles sensitivas, con suavizantes y cremas, etc., etc., etc. Así que no importa cuál sea tu caso, con muchos o con poco vellos, este truquito te ayudará a darle fin a las llaguitas, poros infectados, irritación en la piel y el tormento de afeitarte.

INGREDIENTES

- Pulpa de sábila, o
- Aguacate, o
- Crema tópica con caléndula

PROCEDIMIENTO

1. Aplica pulpa de sábila pura o un ungüento que contenga un alto contenido de esta milagrosa planta al área afectada.
2. Otra opción es majar un pedazo de aguacate y aplicártelo en el área afectada. Déjalo reposar por diez minutos y enjuágalo con abundante agua.
3. Como alternativa adicional puedes aplicar una crema tópica que contenga caléndula para aliviar la quemazón.

¡Emergencia!

Se me acabó la crema de afeitar… ¿y ahora qué hago? Relájate que posiblemente tienes en casa varios de estos productos que harán su mismo trabajo: acondicionador de cabello, crema batida (sí, "whip cream", y si usas una cucharada para afeitarte y otra para comértelo tendrás una dulce afeitada), mantequilla de maní o mayonesa. Si alguno te gusta mucho, puedes seguir utilizándolo de ahora en adelante.

Cómo decirle adiós a la caspa

Una de las causas más comunes para la aparición repentina de la caspa es el estrés.
Aunque no es una enfernedad, en casos severos puede llegar a ser muy vergonzoso.
Aquí te incluyo un secreto de la abuela que elimina el hongo y bacteria que pueden causarla.

INGREDIENTES

- 8 onzas de vinagre de cidra de manzana
- 8 onzas de agua

UTENSILIO

- 1 botella de plástico de 20 onzas vacía

PROCEDIMIENTO

1. Vierte el vinagre de cidra de manzana con el agua a partes iguales en la botella vacía y agítala para mezclarlos.
2. Lávate el cabello como de costumbre.
3. Aplica la solución al cabello como enjuagador final.

Otro truquito más...

Hay otro truquito para la caspa que aprendí de mi cuñado Wiwi. Un día, mientras jugábamos con mi sobrina Paola, me contó que cuando era niño este era uno de los remedios santos de su mamá Adita. ¿Quieres conocerlo? Aquí va… Enjuágate el cabello con el contenido de una botella de enjuagador bucal original (el que es color caramelo) luego de lavarlo bien. Así le pondrás fin a los copitos (que no son de nieve) que se depositan sobre tu camisa y no son parte de tu ajuar.

Desodorante natural para controlar la perspiración

Una de las situaciones más desagradables que te puede ocurrir es emanar un fuerte y desagradable olor por las axilas. No solo alejarás a las moscas, sino que puedes llegar a distanciar hasta a tus mejores amigos (¡y ni hablar de las posibles parejas en una fiesta o en el pub más popular!). A no ser que estés en medio de una práctica o un juego de deportes, o que estés realizando un trabajo arduo y con equipo pesado, y en ese caso se te puede perdonar. La buena noticia es que hay un remedio casero que puede ayudarte a resolver este maloliente problema. Este truquito lo aprendí de mi amiga Cynthia durante un taller que tomamos con nuestro maestro Drunvalo Melchizedek sobre la Flor de la Vida, la figura de geometría sagrada que has visto a través de mis libros y que guarda un significado muy especial para mi.

INGREDIENTES

- 1 cucharada de bicarbonato de sodio, o
- 1 cucharada de talco

PROCEDIMIENTO

1. Aplica en las axilas el bicarbonato de sodio o el talco.
2. Puedes también aplicarlo sobre tu desodorante favorito.

El sudor es el proceso natural que utiliza nuestro cuerpo para regular su temperatura. Así que todos, por mucho o poquito que sea, sudamos.

Para el hongo en las uñas

El hongo en las uñas es causado principalmente por la humedad. Para evitarlo es importante que te asegures de mantener tus manos y pies siempre secos, especialmente luego de bañarte. Además, debes evitar utilizar los zapatos muy apretados y el caminar descalzo en la calle, los gimnasios o lugares públicos. Si te gusta hacer ejercicios, ya sabes cuánto sudan los pies. Te recomiendo que tan pronto termines tu clase favorita te quites las medias y las tenis, te enjuagues los pies con mucha agua limpia, y los seques bien.

INGREDIENTES

- ⅓ taza de semillas de mostaza
- 1 a 3 galones de agua tibia
- Aceite esencial de melaleuca ("tea tree oil")

UTENSILIOS

- 1 palangana o recipiente hondo donde puedas reposar las manos o los pies
- 1 toalla seca

PROCEDIMIENTO

1. Llena la palangana con agua tibia.
2. Añade las semillas de mostaza y remueve el agua.
3. Entra las manos o los pies al agua y déjalos reposar por veinte minutos.
4. Remuévelos del agua y sécalos bien con una toalla.
5. Aplica unas gotas de aceite esencial de melaleuca en el área afectada dos o tres veces durante el día.
6. Repite el procedimiento diariamente hasta que el hongo haya desaparecido.

Para blanquear los dientes y tener una sonrisa como la del gato de la película Alicia en el País de las Maravillas

Aquí comparto uno de los Truquitos Caseros que puede ayudarte a tener los dientes tan blancos como los de los George Clooney, Justin Bieber, Angelina Jolie o Miley Cyrus. Ah, pero por favor ten precaución - úsalo con moderación y cepilla tus dientes suavemente para evitar el que quites el preciado e irremplazable esmalte de tus dientes.

La higiene y belleza dental han tomado un auge significativo en los pasados años. Tanto así que el lucir dientes blancos se ha convertido en uno de los elementos esenciales de tener un "buen look". Para comprobarlo solo tienes que asomarte a las góndolas de productos dentales y verificar cuántos de estos tienen las palabras "para blanquear los dientes" en su etiqueta, contar los anuncios de estos productos en las revistas, o ver las sonrisas de las personas en los anuncios de revistas, periódicos y televisión. Muchos de los productos y tratamientos en el mercado pueden llegar a ser extremadamente costosos… pero no te preocupes pues te tengo la solución.

INGREDIENTES

- 4 gotas de agua oxigenada
- 1 cucharadita de bicarbonato de soda ("baking soda")

UTENSILIO

- Tu cepillo de dientes

PROCEDIMIENTO

1. Mezcla el agua oxigenada con el bicarbonato sódico.
2. Coloca la mezcla sobre el cepillo de dientes.
3. Cepilla los dientes como de costumbre.
4. Enjuaga con abundante agua.

Humectante preparado en casa para la piel seca

La versión original de este humectante la encontré en una publicación del *Reader´s Digest* y cuando la leí me pareció que la mezcla de ingredientes era ingeniosamente perfecta para tratar la piel seca. La guardé en la gaveta en la que mantengo recortes de información interesante y cositas que hacer, y la traté un día de verano luego de haber pasado varios días en la playa. Los resultados fueron increíbles, así que continúo elaborándolo y usándolo al día de hoy, pues como ya saben, soy fiel amante de la playa.

INGREDIENTES

- 1 cucharadita de cera blanca de abeja
- 2 cucharadas de lanolina
- ⅓ taza de aceite de oliva
- 1 cucharada de pulpa de sábila natural
- 2 cucharadas de agua de rosas

UTENSILIOS

- Una olla pequeña y profunda en baño de María
- Una cuchara de madera
- Un frasco, preferiblemente de cristal, de 5 onzas

PROCEDIMIENTO

1. Derrite la cera de abeja y la lanolina en una olla a fuego lento en baño de María.
2. Remueve la mezcla con la cuchara de madera mientras se derrite.
3. Añade el aceite de oliva, la sábila y el agua de rosas, y continúa removiendo la mezcla hasta formar una solución homogénea.
4. Vierte la mezcla en el frasco de cristal y déjala enfriar, hasta que obtenga una temperatura ambiente.
5. Aplica el humectante diariamente o cuando desees hidratar tu piel.

Además, utilizar un jabón natural a base de sábila, leche y/o aguacate en tu cara y cuerpo mantendrá tu piel humectada y hermosa como la que dicen que tenía la reina egipcia, Cleopatra.

Para las maduras manchas de vejez ("age spots")

icen, bueno, no dicen, sino que está comprobado que con la edad (o la madurez, si prefieres usar ese término para sentirte más joven) comienzan a aparecer en el rostro y en las manos unas indiscretas manchas de tonalidad marrón conocidas como manchas de vejez. Son causadas principalmente por la exposición al rubio (como le llamo cariñosamente al sol) aunque también pueden ser provocadas por algunos medicamentos. Este truquito te ayudará a aclararlas, pero tienes que tener paciencia. Recuerda que si estuviste años alabando al rubio en la playa, tomará varias semanas realizar el truquito diariamente para que notes los resultados.

INGREDIENTES

- 1 cucharada de yogurt natural
- 1 cucharada de jugo de limón natural
- 1 cucharada de avena cruda
- 1 cucharada de miel
- 1 cucharada de manteca de leche ("buttermilk")

UTENSILIOS

- 1 recipiente pequeño
- 1 cuchara o tenedor

PROCEDIMIENTO

1. Antes de acostarte, mezcla todos los ingredientes en un recipiente pequeño con la cuchara o tenedor.
2. Aplica la mezcla en la cara y alrededor de los ojos, y déjala secar por 30 minutos.
3. Enjuaga la cara con abundante agua fría.
4. En la mañana, lava tu cara como de costumbre.

Es extremadamente importante que realices este truquito antes de acostarse y que te asegures de lavar bien tu cara en la mañana. Te recalco esto porque uno de los ingredientes, el limón, si entra en contacto con el sol, manchará tu piel. Así que valga la redundancia en la explicación.

Baño relajante

El estrés que produce tu ritmo de vida y las mil responsabilidades que tienes – como el trabajo, la pareja, la familia, los niños, las diligencias, el hacer la compra de alimentos, los amigos, etc., etc., etc., porque si sigo no acabo… pueden llegar a ser drenantes. En ocasiones pueden llevarte a sentir un agotamiento excesivo. ¿Sabes qué? Necesitas relajarte. Y no me digas que no tienes tiempo, porque si no lo haces te va a dar un desgaste físico, y si eso ocurre la consecuencia es cama obligatoria. ¡Y ahí si que estás askjskjdhk!) Así que si tienes que escoger entre tomarte un break y caer postrad@ en una cama obligatoriamente, yo tú me mimaría con este baño relajante de media hora que te ayudará a renovar las energías, soltar lo negativo, y estar nuev@ para entrar de vuelta a la carga mañana.

INGREDIENTES

- 1 taza de sal de higuera ("Epsom Salt")
- 10 gotas aceite esencial de lavanda

PROCEDIMIENTO

1. Añade la sal de higuera y el aceite esencial de lavanda a la bañera con agua caliente.
2. Disfruta de este relajante baño por lo menos 20 minutos.

Para controlar el mal olor en los pies

INGREDIENTES

- 2 bolsitas de té negro
- 1 pinta de agua
- Talco

UTENSILIO

- 1 palangana

Si eres de los que cuando te quitas los zapatos tienes que taparte la nariz (o las de las personas a tu alrededor), tienes que poner en práctica este truquito que mi abuelita me enseñó. El mal olor en los pies es generalmente más propenso cuando usas medias y zapatos cerrados ya que cuando tus pies sudan, las bacterias salen a hacer fiesta y consecuentemente producen el desagradable mal olor. En cuanto pongas en práctica este truquito no solo tendrás unos pies contentos, sino que también harás feliz a las narices a tu alrededor.

PROCEDIMIENTO

1. Hierve el agua con las dos bolsitas de té negro por 15 minutos.
2. Aparta del fuego y déjala entibiar.
3. Remueve las bolsitas de te y vierte el agua en una palangana.
4. Sumerge los pies en el agua de té por 30 minutos.
5. Repite el proceso diariamente o cada vez que sea necesario.
6. Espolvorea el interior de tus zapatos con talco.
7. Úntate talco en los pies antes de ponerte medias o zapatos cerrados.

¿Qué hace el té negro para combatir el mal olor de los pies?

El ácido tánico que contiene el té negro mata las bacterias y cierra los poros para ayudar a que los pies suden menos.

¿Y el talco?

Absorbe el mal olor y el sudor de los pies.

Para eliminar los callos

Si eres como yo que anda el 99 por ciento del día en sandalias y zapatos abiertos, querrás tener unos pies como esos que enseñan en las revistas de belleza. Además, nada como unos pies bien arreglados (no tienen que ser perfectos, nadie tiene pies perfectos) para lucir unos lindos zapatos. Pero de vez en cuando, muchas veces por el roce de los mismos zapatos, aparecen los deslucidos y protuberantes callos en los pies. Si practicas este truquito casero verás como los aniquilas rápidamente.

INGREDIENTES

- 1 cucharada de azúcar morena
- 1 cucharada de aceite de almendra o de oliva

UTENSILIO

- 1 piedra pómez

PROCEDIMIENTO

1. Mezcla el aceite de almendra o de oliva con el azúcar morena en un recipiente.
2. Frota la mezcla por las manos y las plantas de los pies.
3. Enjuágalos con abundante agua tibia.
4. Fricciona la piedra pómez por la planta de los pies.

Y recuerda siempre tener en la ducha una piedra pómez para que cada vez que te bañes le des un rico masaje a los pies con un poquito de jabón. Te aseguro que solo haciendo esto todos los días tus pies siempre lucirán de show.

Shampoo para controlar la psoriasis del cuero cabelludo

He recibido muchísimos correos electrónicos solicitando un truquito para ayudar a aliviar la psoriasis, una condición de la piel que se genera debido a que el ciclo de crecimiento de la piel está acelerado y las células muertas de la piel se renuevan demasiado de rápido. La psoriasis se caracteriza por protuberancias rojizas cubiertas de escamas de piel y suele ocurrir generalmente en las coyunturas (codos y rodillas) y en el cuero cabelludo. Esta condición que corre en la genética familiar empeora en los días de mucho calor y puede llegar a ser insoportable. Este shampoo hecho en casa te ayudará a controlarla.

INGREDIENTES

- 1 frasco de shampoo de bebé que no cause ardor en los ojos
- 7 gotas de aceite esencial de lavanda
- 5 gotas de aceite esencial de manzanilla

PROCEDIMIENTO

1. Añade al shampoo de bebé las gotas de los aceites esenciales de lavanda y de manzanilla.
2. Utiliza el shampoo cada vez que te laves el cabello.
3. Si vas a usar acondicionador, debe ser de bebé, y añádele también las gotas de los aceites esenciales.

Tengo un buen amigo que solía producir uno de los programas de televisión en los que colaboro y me pidió que le preparara un remedio para su condición de psoriasis, que realmente era aguda. Pero me advirtió que tenía que ser un producto que no oliera fuerte o raro ya que estaba constantemente rodeado de personas y en reuniones, y no quería oler como frasco de perfume extraño. Entre el mar de risas que me entró al escucharlo le prometí prepararle un producto especial que no le hiciera figurar como promotor de perfumes. Le preparé este ungüento que aprendí de mi abuela Mama y desde ese momento se convirtió en el fan #1 de mis Truquitos Caseros.

El proceso es bien sencillo. Añade a un frasco de manteca de ubre de vaca 10 gotas de aceite esencial de camomila y mézclalo bien. Déjalo reposar por 24 horas y luego puedes comenzar a aplicarlo en las áreas afectadas todos los días, cuantas veces necesites. Ahora bien, usa solo un poquito porque es concentrado y tampoco es para que andes con una melcocha puesta (eso es peor que andar despertando narices).

Mami, ¡Te Amo!...
Gracias por existir.

Mami y yo con mis sobrinos Ariana y Carli

La madre Tierra es la casa de todos. Ámala y respétala con todo tu corazón.

JH.

Hogar

Para remover la arena del cuerpo y los pies

Saliste de la playa luego de un día de diversión con la familia y estás parcialmente empanad@ de arena. Como es natural procedes a enjuagarte, sacudirte o bañarte. Pero la versátil arena se niega a desprenderse de tu cuerpo aunque te hayas sacudido mil y una veces con la toalla y aún quedan algunos residuos inmiscuidos sobre tu cuerpo. ¡No te preocupes! Esta situación es sencilla de resolver. Además, también es un truquito muy práctico para utilizarlo con los bebés y niños. Es importante que la piel esté completamente seca para que el truquito funcione… no lo realices con la piel mojada porque solo lograrás convertirte en una empanada de arena con talco, y esa no es la idea.

R ecuerdo… que cuando era pequeña mami nos llevaba a la playa de Ocean Park en Condado casi todos lo fines de semana. Allí hacíamos fiesta con el habitual grupo de amistades que se daba cita domingo tras domingo. Éramos un total de más de quince niños así que ya te imaginas lo mucho que nos divertíamos revolcándonos en la arena y en el mar, y las mil travesuras que hacíamos… niños al fin. No podía faltar el enterrarnos unos a otros en la arena así que salíamos de la playa bien empanaditos. Mami, que siempre anda bien preparada (no te la imaginas en la temporada de huracanes, ahí se convierte en la chef oficial del vecindario), nos enjuagaba de pies a cabeza y nos secaba bien para que al llegar carro bastara con sacar el mágico pote de talco y removernos la arena de todas partes antes de subirnos al auto. ¡Que hermosos recuerdos guardo de esos domingos de playa!

INGREDIENTE
• Talco de bebé

UTENSILIO
• Toalla seca y limpia

PROCEDIMIENTO

1. Espolvorea el talco de bebé sobre el área de la piel (completamente seca) donde tienes pegada la arena.

2. Sacude la arena y el talco frotando suavemente hacia abajo con una toallita seca y limpia, o con las manos.

Para las quemaduras

¡Ay, ay, ay! Mientras cocinabas tu platillo favorito te salpicó un poco de aceite en la mano. Los accidentes siempre ocurren cuando menos los esperamos, así que antes de comenzar a gritar y a correr desesperadamente sin saber qué hacer, aquí está el truquito que te ayudará a atender la emergencia de inmediato. Ahora bien, es importante que si la quemadura es grave busques atención médica lo más rápido posible.

INGREDIENTES

- Papa cruda cortadas en rodajas
- Sábila pura
- Agua fría

UTENSILIOS

- Pedazo de tela o toalla
- Liguilla o banda para sujetar el cabello

PROCEDIMIENTO

1. Enjuaga el área quemada con abundante agua fría.

2. Aplícate pulpa de sábila sobre la quemadura.

3. Coloca las rodajas de papa sobre el área hasta cubrirla completamente.

4. Sujeta las rodajas de papa en el área por aproximadamente una hora con un pedazo de tela o toalla, una liguilla o una banda de las que se usan para sujetar el cabello.

5. Remueve las rodajas de papa y vuelve a aplicar sábila en el área.

6. Continúa aplicándote sábila cada media a una hora, por un término de dos a tres horas.

7. Procura continuar utilizando la sábila diariamente en el área afectada hasta que haya sanado la quemadura.

Para sacar manchas de sangre de tu pieza de ropa

Ocurren más a menudo de lo que imaginamos y en los momentos menos apropiados, como cuando te cortas sin querer y unas gotitas de sangre manchan tu pieza de ropa favorita. O si eres mujer te ha pasado como a mi en múltiples ocasiones… en esos días del mes ocurrió un accidente y el pantalón ahora está decorado con una mancha indiscreta (y te enteraste porque tu amiga te lo dijo en secreto cuando vio la catástrofe). El remedio infalible lo podrás encontrar en el botiquín de primeros auxilios más cercano, así que cúbrete con lo que encuentres y manos a la obra.

INGREDIENTE
- Agua oxigenada

PROCEDIMIENTO
1. Moja el área de la mancha con agua oxigenada.
2. Deja que la efervescencia del agua oxigenada actúe en el área por cinco minutos.
3. Enjuaga con abundante agua y lava como de costumbre.

¿Y qué haces si la mancha es en un mueble?

Solo tienes que mezclar vinagre y agua a partes iguales y frotar suavemente el área con una esponja. Repite el proceso cuántas veces sea necesario hasta que la mancha desaparezca.

Para limpiar y desinfectar los juguetes

Para mantener los juguetes de los niños limpios y desinfectados sin tener que usar químicos (especialmente si se los meten a la boca) aquí está el truquito favorito de mami. Es fácil, económico y dejará a los amigos favoritos de los niños limpios y desinfectados para que sigan jugando incansablemente.

INGREDIENTE
- Vinagre blanco

UTENSILIO
- Toalla pequeña

PROCEDIMIENTO
1. Humedece la toalla con el vinagre.
2. Frota la superficie de los juguetes con la toalla con vinagre.

Si es necesario, para los juguetes o casas de madera que por lo general tienes en el patio, te recomiendo mezclar a partes iguales vinagre y agua, y añadir unas pocas gotas de jabón de fregar o jabón de castilla hasta hacer una solución jabonosa. Frota los juguetes con esta solución y una esponja, y luego enjuágalos con abundante agua.

Para limpiar accesorios y hasta utensilios de plata

Ya me lo imagino. Tienes en el joyero una colección de hermosos accesorios de plata que no luces hace quién sabe cuanto tiempo porque se han puesto negros y se ven espantosos. ¿Y la vajilla, y de plata? Ni se diga. La tienes escondida en la parte más remota de las gavetas del armario para que nadie la vea. ¡No te preocupes! En menos de lo que canta un gallo podrás lucir tus prendas y mostrar tu espectacular vajilla, y todos pensarán que son las piezas más recientes de tu nueva colección.

INGREDIENTE

- Pasta dental regular (no gel)

UTENSILIO

- Cepillo de dientes

Este es uno de esos truquitos en los que dices: "¡Uno, dos, tres y listo!"

PROCEDIMIENTO

1. Aplica un poco de pasta dental sobre el accesorio o la pieza de plata y espárcela bien.

2. Frota la superficie donde está la pasta de dientes con el cepillo de dientes hasta limpiar la pieza en su totalidad.

3. Enjuágala con abundante agua. Si es necesario remueve cualquier residuo de pasta dental en algún huequito escondido del objeto frotando con el cepillo de dientes mientras continúas enjuagándolo con agua.

Para eliminar el olor a ajo de las manos

Acabas de confeccionar la cena del día y si eres como yo, el ajo es uno de los ingredientes principales del plato. Y aunque su sabor es ¡Mmmmmm!... sabroso e insustituible, el aroma que puede dejar en tus manos no necesariamente es tan agradable como su sabor (especialmente si vas a acariciar a alguien). ¿Qué puedes hacer? Aquí el secreto de abuela Mama para remover el olor a ajo de tus manos sin dejar rastro de que estuvo ahí, para que puedas acariciar al marido, esposa o a los niños sin que salgan corriendo como si hubieran tenido un encuentro con un cazavampiros.

UTENSILIOS
*   1 utensilio o cubierto de acero inoxidable ("stainless steel")

PROCEDIMIENTO

1. Lava tus manos con agua y jabón.
2. Frota tus dedos y manos con un utensilio de acero inoxidable.
3. Vuelve a lavar tus manos con jabón y enjuágalas con abundante agua.

*¿Y si no tienes un utensilio de acero inoxidable, qué puedes hacer?
Otro truquito que también puedes utilizar es frotar tus manos y dedos
con bicarbonato sódico o con sal granulada. ¡Así que no hay excusas
para acariciar a tus seres amados con las manos oliendo a ajo!*

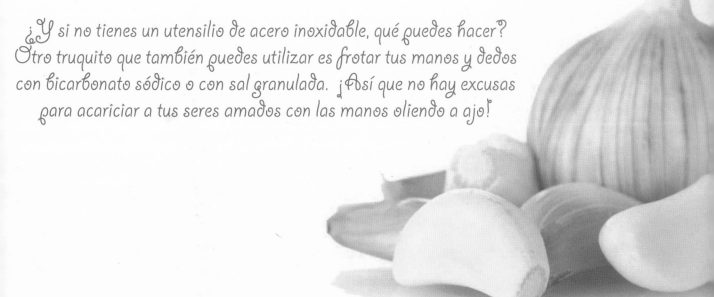

Para decirle adiós a las cucarachas

Recuerdo muy bien los episodios de encuentros con estos insectos cuando era niña, y me confieso, todavía los tengo de adulta. La experiencia de un inesperado encuentro con una "cuca" es mucho peor que ver la película Friday the 13th. En ese instante mami, mis hermanas Maritere y Frances o yo pegábamos un grito tan despavorido que se escuchaba en la China. Luego todas llegábamos al lugar y nos arrinconábamos en una esquina cercana a la intrusa, pero manteniéndonos lo más lejos posible de ella, y con la botella que contenía la sustancia mágica para aniquilarla en mano. Nos acercábamos poco a poco y le vaciábamos la botella casi completa hasta que caía "patas para arriba" y pasaba a mejor vida. Le pedíamos perdón por el suceso y luego respirábamos hondo para calmar nuestras aceleradas palpitaciones, casi de arritmia, a consecuencia de la situación.

Si hay algo que sospecho que corre en la genética de mi familia por parte de mami es el inexplicable pavor a "las cucas" aunque me queda claro que muy posiblemente ellas nos tienen más miedo a nosotros los humanos.

INGREDIENTES
- Agua
- 10 gotas de jabón de fregar

UTENSILIO
- Botella con atomizador de aproximadamente 12 a 20 onzas

PROCEDIMIENTO
1. Llena de agua la botella con atomizador y añádele aproximadamente 10 gotas de jabón de fregar.
2. Rocía el agua jabonosa sobre la cucaracha hasta que caiga al piso "patas para arriba".

Nota

Un dato interesante que vi en National Geographic es que hay más de 400 especies de cucarachas y habitan en todas partes del planeta, particularmente donde hay humanos.

Para los malos olores del baño

Pasa sin excepción en todas las casas. Bueno, a no ser que el baño no se use. Pero de lo contrario es muy posible que varias veces al día, dependiendo de cuántas personas viven o visitan la casa, necesites un milagro para contrarrestar el fuerte y peculiar olor que puede encapsularse en ese necesariamente concurrido espacio... porque cuando hay que ir, hay que ir. Aquí comparto varios truquitos para ayudarte a resolver la olorosa situación.

INGREDIENTES
- 1 tableta de alcanfor
- Granos de café tostado
- Agua

UTENSILIOS
- Recipientes decorativos de cristal, madera o plástico
- Fósforos

PROCEDIMIENTO
1. Sitúa tabletas de alcanfor en lugares escondidos del baño.
2. Coloca un buen puñado de granos de café dentro de un recipiente decorativo y ponlo en el baño.

¡Recuerda colocar todos estos productos fuera del alcance de los niños y las mascotas para prevenir accidentes!

El secreto más conocido para ahuyentar hasta el más fuerte olor es encender un fósforo luego de terminar de utilizar "el trono", digo, el inodoro.

Para sacar las hormigas de la casa

Entran y salen haciendo un camino perfecto que el arquitecto nunca incluyó en el plano de tu casa. Nadie las invitó y llegan en fila militar, una detrás de la otra. Solo les falta sonar la corneta para avisarte que llegaron y van directito a la cocina a llevarse todo lo que encuentran en su camino. Ah, y obviamente seleccionan su área favorita para hacer su hormiguero y no tienen intención de pagarte renta. Mi abuelita Teté tenía la solución ideal para mantenerlas fuera de la casa y la verdad que funciona de maravilla.

INGREDIENTE

- Pimienta negra

PROCEDIMIENTO

1. Espolvorea un poco de pimienta negra en los hormigueros y en los caminos de las hormigas.

2. Repite el proceso cada 2 o 3 días o cada vez que sea necesario.

Dile "bye bye" a las hormiguitas con este truquito y así no tienes que pelear más contra ellas.

Shampoo para perros con piel sensitiva

Hace unos años me fui a pasar unos días a la playa de Boquerón con mi perro Oscar Mayer (¡sí, pues claro que era un salchicha!). Pasamos unos días espectaculares pues él era tan playero como lo soy yo. De regreso a casa observé que Oscar estaba decaído de ánimo y no se sentía bien. Al examinar su cuerpo ¡¡¡¡ayayay!!!! Me asusté inmensamente con lo que encontré. Al parecer un pichu pichu (uno de esos mosquitos sangrones que viven en la playa y que pican durísimo) lo picó en el cuello y esa área de su cuerpo estaba totalmente inflamada y, lo que es peor, infectada. Rápidamente puse en práctica todos mis conocimientos de Truquitos Caseros para sanarlo, y gracias a Dios "mi pequeño munchkin" (como le llamaba amorosamente) sanó de inmediato.

Oscar Mayer

Como su piel estaba tan sensitiva y tenía que bañarlo varias veces al día para limpiar el área, se me ocurrió hacerle un shampoo especial con ingredientes que ayudaran en su proceso de sanación. ¡Y funcionó! A través de varias amistades amantes de perros se corrió la voz del shampoo que llamé Perribón y cuento largo corto, participé en varios eventos de perros para presentar el shampoo por lo efectivo que es y los testimonios de los que lo habían usado. A mami le encantaba y también lo usaba para bañar a Pucky Pucky. Como Oscar fue uno de los seres más importantes en mi vida, y sé que para muchas personas también lo son sus perritos, hoy lo comparto contigo para que le hagas este regalo tan especial. Porque el mejor amigo del hombre hay que mimarlo con el más grande amor.

INGREDIENTES

- Shampoo de bebé
- 8 gotas de aceite esencial de lavanda y/o de camomila

Pucky Pucky

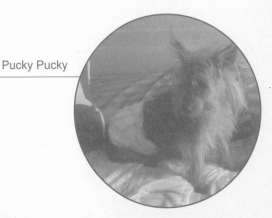

PROCEDIMIENTO

1. Añade las gotas de aceite esencial al shampoo de bebé.

2. Baña a tu perro como de costumbre.

Para la humedad y su peculiar olor

Ahí está. Ese fuerte y desagradable olor a humedad que espanta hasta a las cucarachas. Y es como un fantasma porque no solo es invisible sino que también tiene la habilidad de filtrarse en los rincones más ocultos. Con estos simples truquitos que mi abuelita Teté me enseñó, tu casa quedará a prueba de humedad para siempre.

INGREDIENTES

- Trocitos pequeños de tronco de árbol de cedro
- Bolsas pequeñas de tela con huecos
- Pedazos pequeños de carbón

Con estos simples truquitos que mi abuelita Teté me enseñó, tu casa quedará a prueba de humedad para siempre.

PROCEDIMIENTO

1. Introduce palitos de cedro dentro de las bolsas ahuecadas y cuélgalas en los armarios y en lugares húmedos.

2. Coloca pedacitos de carbón en las esquinas escondidas de las áreas húmedas para combatir su fuerte olor. Asegúrate de que estén fuera del alcance de los niños o mascotas para evitar envenenamientos.

Para guardar las luces y los adornos de Navidad

Cuando llega el momento de desmontar el árbol de Navidad, recoger y guardar los adornos de la época, es usual que hasta el menos ocupado en la casa se inventa cualquier buena excusa para librarse de ayudar a realizar este quehacer anual. Con estos truquitos verás como la más detestable de las labores navideñas resulta fácil y rápida de llevar a cabo. Además, las luces y los adornos quedan bien protegidos y listos para usarlos el año entrante.

MATERIALES

- Rollo del cartón que queda cuando se acaba el papel toalla
- Papel de periódico o de burbujas ("Bubble wrap")
- Cajas de zapato vacías y con tapa
- Cajas de plástico con tapa de 15 cuartos
- Marcador con tinta a prueba de agua ("Sharpie")
- Cinta adhesiva "tape"

PROCEDIMIENTO PARA ENVOLVER LAS LUCES DEL ÁRBOL SIN QUE SE ENREDEN

1. Inserta la esquina del receptáculo eléctrico de las luces dentro de rollo de cartón y fíjalo con cinta adhesiva.
2. Enrolla las luces alrededor del cartón.
3. Envuélvelo con papel de periódico o de burbujas.

PROCEDIMIENTO PARA GUARDAR LAS LUCES Y LOS ADORNOS EN CAJAS

1. Guarda los rollos de luces ya preparados para ser almacenados o los adornos de navidad en cajas de zapatos separadas.
2. Identifica el exterior de cada caja de zapatos con el nombre de lo que guardaste adentro, por ejemplo, "Luces de Navidad color xxx" o "Adornos xxx" con el marcador a prueba de agua.
3. Acomoda las cajas de zapatos ordenadamente dentro de una caja de plástico.
4. Identifica cada caja de plástico con el nombre de lo que almacena, por ejemplo "Luces de Navidad" o "Adornos de Navidad" con el marcador a prueba de agua.

Para sacar manchas de moho de la ropa

INGREDIENTES

- Vinagre blanco
- Sal

Tienes tu camisa favorita guardada en el closet hace años esperando esa ocasión súper especial para ponértela.

¡Y al fin llegó el momento! Este fin de semana te invitaron a esa fiesta espectacular en la que tienes que "parar el tráfico". El día antes de la fiesta decides dejar tu ajuar listo y buscas la preciada pieza. ¡Horror! ¡¿Pero de dónde salieron esas manchitas de moho?! ¡¿Y ahora qué vas a hacer?! No te preocupes, que este truquito casero viene a tu rescate...

PROCEDIMIENTO

1. Empapa el área de la mancha con el vinagre blanco.
2. Espolvorea la sal sobre el área hasta cubrirla en su totalidad y frótala sobre la mancha con delicadeza.
3. Si el día está soleado, saca la camisa al sol hasta que el vinagre y la sal se hayan secado por completo.
4. Lava la pieza como de costumbre.

¿Y qué puedes hacer si las toallas, camisetas, paños de cocina, medias y ropa de cama que lavas en la máquina se han puesto amarillas y estás a punto de descartarlas porque ya te dan hasta vergüenza? Trata el siguiente truquito casero en la próxima lavada y te sorprenderán los resultados.

INGREDIENTES

- 1 galón de vinagre blanco
- ½ taza de bicarbonato sódico (baking soda)
- 2 tazas de sal
- (Opcional) 10 gotas de aceite esencial de cítrico, lavanda o tu favorito

PROCEDIMIENTO

1. Fija el indicador de la lavadora para realizar un lavado con agua caliente.
2. Una vez haya completado el ciclo de llenarse de agua, detén el ciclo de la lavadora, abre la tapa y añádele el vinagre, la sal y las gotas de aceite esencial.
3. Coloca la ropa dentro de la lavadora y continúa el ciclo de la lavadora hasta que culmine.
4. Si el día está soleado lo ideal es que seques la ropa al sol. Si no, sécala como de costumbre.

Para sacar la pega de las manos

Lo sé todo. Estabas ayudando a tu hijo a realizar el proyecto escolar que tiene que entregar mañana y han terminado ambos con los dedos llenos de pega... las manos son ahora un área de desastre y emplaste total. Para remediar la situación tan rápido como parpadeas y continuar realizando las otras mil cosas que tienes que hacer, usa este truquito que aprendí de Abuelita Mama y colorín colorado, la pega desaparecerá como por arte de magia.

MATERIALES

- Acetona
- Algodón

PROCEDIMIENTO

1. Empapa un algodón con la acetona.

2. Frota el algodón alrededor de los dedos y las manos delicadamente, usando la cantidad de algodones necesites, hasta que hayas sacado toda la pega.

3. Enjuaga las manos con abundante agua.

Josette y sus
TRUQUITOS
CASEROS

Salud   Belleza   Hogar

Para eliminar manchas de salsa

Hoy tenías ganas de almorzar comida china. Durante toda la mañana ya te imaginabas saboreándote tu plato favorito. ¡Y qué delicia cuando te sentaste a comértelo! Pero mientras te lo estabas saboreando… ¡Ooops! La salsa se deslizó y manchó el pantalón que traes puesto. Miras el reloj y te desesperas porque te quedan 20 minutos para llegar a tiempo a una reunión con tu cliente más importante. ¿Qué puedes hacer? ¡Aquí tienes la solución! Busca un poco de sal y ve corriendo al baño, que con toda probabilidad llegarás a tiempo y nadie se enterará de tu inesperado incidente.

INGREDIENTES

- Sal
- Agua
- Jabón de fregar o de lavar las manos

UTENSILIO

- Pañito húmedo o papel desechable para secar las manos

PROCEDIMIENTO

1. Vierte sal en el área de la mancha hasta cubrirla en su totalidad.
2. Déjala reposar hasta que la sal haya absorbido el aceite.
3. Remueve la sal.
4. Remoja el paño o papel desechable con agua y un poco de jabón.
5. Frótalo delicadamente sobre el área de la mancha, aunque primero debes hacer una prueba frotándolo en un área escondida de la pieza para asegurarte de que no se mancha.
6. Moja otro paño solo con agua y frótalo por el área hasta remover el jabón en su totalidad.
7. Si tiene secador de manos, pon el área mojada bajo el mismo y enciéndelo hasta que el área haya secado.
8. Cuando llegues a tu casa lava la pieza de ropa como de costumbre.

Para limpiar la nevera

Esta es una de las labores más tediosas para muchos, pero hay que hacerla porque después de todo es el espacio donde guardamos los alimentos que ingerimos. He escuchado muchas historias de personas que pasan laaaargas horas limpiando, sacando manchas y emplegostes de la nevera. Si eres una de esas personas, te tengo buenas noticias, porque con este truquito realizarás esta labor en un "dos por tres", y tendrás tiempo para hacer todas las mil otras cosas que tienes pendiente terminar.

INGREDIENTES

- 1 taza de vinagre blanco
- ¼ taza cucharadas de bicarbonato sódico (baking soda)
- Agua para enjuagar

UTENSILIOS

- 1 paño de limpiar
- 1 cubo o recipiente para mezclar líquidos

PROCEDIMIENTO

1. Mezcla el vinagre con el bicarbonato sódico (poco a poco para evitar que se vierta) en un cubo o recipiente.
2. Moja el paño de limpiar en la solución.
3. Limpia el interior y exterior de la nevera y el congelador.
4. Enjuaga el paño con abundante agua y vuelve a mojarlo en la solución cuantas veces sea necesario.

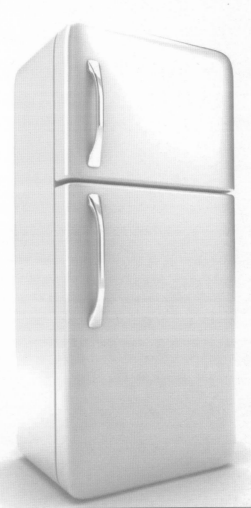

Repelente de insectos para cuando estás en el patio, la playa o practicando algún deporte

Si te gusta el camping, la playa o jugar algún deporte en el campo abierto como lo son el golf, la pelota y el soccer, es posible que los intrusos mosquitos traten de desconcentrarte, hacerte la vida imposible y hasta puedes llegar a sentir que eres víctima de un ataque de estos diminutos… ¡y cómo pican! Prepárate con las "armas" que te harán ganar la victoria cuando estés en el campo de batalla y verás que no se te acercarán ni a una milla de distancia.

INGREDIENTES

- Tamarindos
- Aceite esencial de eucalipto o citronela
- Enjuagador bucal regular (color ámbar) en una botella rociadora

UTENSILIO

- Botella con atomizador

PROCEDIMIENTO

1. Aliméntate con tamarindos antes de salir.
2. Aplícate aceite esencial de eucalipto o de citronela en la piel.
3. Vierte el enjuagador bucal en la botella con atomizador y rocía el perímetro del área donde estás.

¿Pero qué es lo que hacen el tamarindo y el enjuagador bucal para repeler los mosquitos?

Resulta que cuando ingerimos alimentos los poros de la piel desprenden toxinas y emanan olores característicos a lo que comemos ¡y a los mosquitos no les gusta el olor ni el sabor de los tamarindos! Por otro lado, el enjuagador bucal formará una muralla invisible que evitará que los intrusos traspasen y lleguen hasta ti.

¡Oh noooo!........ ¡Se me ahumó el arroz y ya llegaron todos a comer!

A todos nos ha pasado alguna vez, y les confieso que a mi me ha ocurrido más de una vez porque soy de las que hace mil cosas al mismo tiempo. Eso lo sabe todo el que me conoce. Pero bueno, si te ha pasado como a mí, posiblemente dejaste cocinando el arroz mientras te pusiste a hacer otras cosas y de repente llega a tus fosas nasales ese particular aroma a arroz ahumado. ¡Qué horror! Ya todos están en casa y listos para sentarse a comer a la mesa. ¿Cómo puedes solucionar el problema? Aquí los secretos de Abuelita Teté y de la actriz y presentadora Alexandra Fuentes. Mi abuelita usaba papas, pero Alexandra me contó que usaba cebolla y era un éxito. Usa el que prefieras, porque el sabor a ahumado desaparecerá por completo y pasará desapercibido por el paladar más exigente.

INGREDIENTES

- 1 cebolla cruda partida por la mitad, o
- 1 papa cruda cortada en lascas

UTENSILIOS

- 1 paño de limpiar
- 1 cubo o recipiente para mezclar líquidos

PROCEDIMIENTO

1. Mantén el arroz ahumado en la olla en que lo cocinaste.
2. Coloca la cebolla o las lascas de papa cruda con la parte interior tocando el arroz.
3. Tapa la olla y deja reposar el arroz unos diez minutos.
4. Destapa la olla y remueve la cebolla o la papa.
5. Sirve la suculenta cena y ¡Buen provecho!

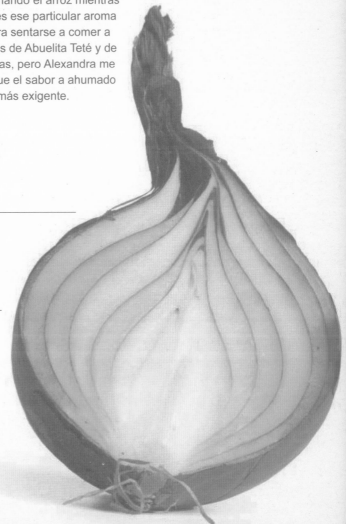

Para limpiar los muebles de cuero

Si tienes muebles de cuero y no sabes cómo limpiarlos, ya verás qué fácil es mantenerlos acondicionados y como nuevos con este truquito casero que aprendí de la abuelita de mi amiga Carmen mientras estaba en un viaje de trabajo en la Ciudad de México.

INGREDIENTE

*   ½ taza de aceite de oliva

UTENSILIO

*   Paño suave y limpio

PROCEDIMIENTO

1. Vierte un poco de aceite de oliva en el paño.
2. Frota el paño por el mueble de cuero suavemente.
3. Remueve el exceso de aceite de oliva para que no vayas a manchar la ropa cuando te sientes. Es importante que el mueble no quede mojado.

¡Esas abuelitas mejicanas si que saben un montón de truquitos caseros!

Y además son súper cariñosas y amables, y cocinan reteque-espectacular (aunque yo no como nada de chiles y me daba un trabajo grandísimo convencerlas de que no le echaran a mi plato).

Para limpiar la rejilla del aire acondicionado

Si el aire acondicionado ya comienza a hacer "ruuum ruuuum" como si fuera el motor de un auto, significa que ya es hora de limpiarlo. Esto se recomienda hacerlo al menos una vez al mes y la realidad es que te toma menos de cinco minutos. Y esos cinco minutos valen la pena de verdad. Porque si tengo que escoger entre dormir con el "ruuum ruuum" o dormir con un silencio absoluto la decisión la tengo clara para dormir "como un lirón". ¡Buenas noches!

EQUIPO

*   Aspiradora

PROCEDIMIENTO

1. Remueve la tapa del aire acondicionado que cubre la rejilla donde se acumula el polvo.
2. Pasa la terminación pequeña o directamente la manga de la aspiradora suavemente sobre la rejilla hasta que haya absorbido todo el polvo y quede limpia.

Para sacar manchas de lápiz labial

Este es el truquito infalible para removerla. Este secreto me lo confesó un amigo de quien no voy a decir el nombre, y casi me muero de la risa porque no podía creerlo. Para comprobarlo lo traté en casa y ¡*voila!*, funcionó.

MATERIALES

- *"Spray"* de cabello o laca
- Toalla blanca o un paño suave y limpio
- Agua tibia

PROCEDIMIENTO

1. Aplica el *"spray"* de cabello o laca sobre la mancha de lápiz labial.
2. Déjalo reposar por cinco minutos.
3. Remueve la mancha suavemente con la toalla.
4. Enjuaga el área con agua tibia.

¡Ay, ay, ay!

Espero que la marca del lápiz labial en tu camisa haya sido porque se te cayó el mismo sobre la ropa y no por otras razones que no voy a mencionar.

Mis amadas abuelitas

Abuelito Franco
con su amada Abuelita Teté

Abuelita Mama y yo

Oscar Mayer y yo

Oscar Mayer y yo

Tuve la bendición de tener un hijo de cuatro patitas, un Daschund (si, un perrito salchicha) llamado Oscar Mayer. Desde que cabía en la palma de mi mano y durante los 13 años que compartimos fue mi compañero fiel y mi mejor amigo. Sus ojos almendrados derretían a cualquiera y tenía un don especial para hacer muchos amigos. Oscar y yo hacíamos todo juntos, desde correr por la playa, hacer stand-up paddle y correr bici, hasta acurrucarnos para leer un libro o ver televisión en casa. Mis amigos y familiares dicen que solo le faltaba hablar. Oscar se convirtió en ángel el 14 de enero de 2013, cuando todavía me encontraba escribiendo este libro, y dejó una huella imborrable de amor y de infinitas memorias de felicidad en mi corazón. Me encantaba mimarlo como si fuera un bebé, e igual que nos pasa a los humanos, cuando nuestros perritos no se sienten bien les gusta que los mimemos con mucho amor y cariño. Un truquito que le encantaba a Oscar era que le pusiera aceites esenciales y le diera masajitos suaves. Los aceites esenciales tienen propiedades medicinales naturales que ayudan a mejorar diversas condiciones de salud y son muy beneficiosos. Aquí comparto uno de los Truquitos Caseros favoritos de Oscar… el remedio santo para ayudar a calmar, relajar y mimar a nuestros perritos (y si, también a los niños y a los más grandecitos).

INGREDIENTE

- Aceite esencial de lavanda

PROCEDIMIENTO

1. Aplica 1-3 gotas de aceite esencia de lavanda en el área de la cabeza y la barriga de tu perrito.
2. Masajea el área suavemente -y con mucho amor- haciendo movimientos circulares a favor de las manecillas del reloj.
3. El aceite esencial de lavanda es excelente para la piel sensitiva por lo que también puedes añadirlo a su jabón de baño, usando como medida aproximadamente 9 gotas por cada 12 onzas de líquido.

Eternas Gracias...

Entre sus amigos, Oscar tenía unos muy especiales: Mami, Odette y Miguel, y el Dr. Ernesto Casta (el mejor veterinario del mundo) y su excelente y amoroso equipo de trabajo en Animedical.

Odette y Miguel, gracias por el amor incondicional que siempre le dieron a su "hijo postizo". Él los adoraba y fueron súper especiales e importantes para él.

Mami y Ernesto, "Gracias" no es suficiente, así que "Gracias a la infinita exponencial" por haber cuidado de Oscar y por el amor tan grande que le dieron cuando más lo necesitó. Ernesto, no tengo palabras que puedan expresar cuánto significó para mi tu gesto de amor incondicional hacia él. Que Dios te regale muchos años de vida más e ilumine tu camino y tus proyectos para que continúes haciendo la labor tan hermosa que realizas con nuestros "hijos mascotas". ¡Los bendigo a todos!

PALABRAS FINALES

Truquitos Caseros es mi misión y compromiso de vida. A través de ellos estoy comprometida a compartir contigo algunos de los secretos más preciados de mis abuelas, mi mamá y otras personas maravillosas que he tenido la oportunidad de conocer.

Espero que aporten a que tú y tus seres queridos disfruten de una mejor calidad de vida y que los comiences a integrar en tu rutina diaria. Además, me atrevería a asegurar que con toda probabilidad conoces algunos remedios caseros que aprendiste de tus abuelas. ¡Y me encantaría que los compartieras conmigo! Si te animas, puedes enviármelos por correo electrónico a info@truquitoscaseros.com. También puedes aprovechar y contarme cómo te han ayudado los conocimientos que has aprendido a través de mis Truquitos Caseros escribiéndome en mi página de internet www.truquitoscaseros.com y en la página de Facebook de Truquitos Caseros. Si prefieres escribirme una carta puedes enviarla por correo al P.O. Box 6708 San Juan, PR 00914-6708. Aunque demore un poco en responderte, ten la certeza de que recibirás mi mensaje y respuesta de vuelta.

¡Gracias por permitirme continuar compartiendo mis conocimientos contigo! Ya me estoy animando a escribir el tercer libro porque aun quedan muchos más Truquitos Caseros por compartir...

Y recuerda que todo lo que necesitas para tu salud, belleza y hogar lo puedes encontrar en casa.

En Luz Amor Divina, Namasté,